KB103417

내가 보이는 곳

내가 보이는 곳

지은이 판곡고 동아리 '물고기는 글을 쓰지 않아'
        _문지혜, 고예은, 신해나, 박성근, 정우형, 주연우, 김민지, 김성주, 김서연
발 행 2023년 12월 29일
펴낸이 한건희
펴낸곳 주식회사 부크크
출판사등록 2014.07.15.(제2014-16호)
주 소 서울특별시 금천구 가산디지털1로 119 SK트윈타워 A동 305호
전 화 1670-8316
이메일 info@bookk.co.kr

ISBN 979-11-410-6226-2

www.bookk.co.kr

내가 보이는 곳

글 · 물고기는 글을 쓰지 않아

판곡고등학교 문지혜

고예은

신해나

박성근

정우형

주연우

김민지

김성주

김서연

BOOKK🖊

차례

* 일부 학생은 필명을 사용하였습니다.

제2부   체온의 전도

* 일부 학생은 필명을 사용하였습니다.

제3부 내가 보이는 곳

* 일부 학생은 필명을 사용하였습니다.

들어가며

　우리는 자신을 전하는 매질로 글을 골랐다. 그건 종이가 참을성 있는 친구이기 때문이기도 했고, 글이 명료한 수단이기 때문이기도 했다. 그러나 쉽기 때문은 결코 아니었다. 글을 쓴다는 건 한순간도 쉬운 적이 없었다. 그도 그럴 것이, 우리가 1년 동안 가장 많이 마주한 것은 백지였다. 하얗고, 아무것도 없고, 막막하기만 한 빈터. 무엇이든 넣을 수 있지만 아무거나 넣을 수 없었던 공백. 그 빈공간의 중압감은 이루 말하기 어려울 정도였고, 그래서 종종 후회했다.

　내가 뭐라고 에세이를 쓰겠냐고 했는지, 할 말이 뭐 있다고 글을 쓴다고 했는지. 후회는 빈 페이지를 노려볼수록 심화되어서, 가끔은 도망치고 싶을 정도였다. 그러나 우리는 끝까지 달아나지 않았다. 그 이유는, 글쎄. 단정하기 어렵다. 글을 쓴다는 행위를 동경했던 것 같기도 하고, 기대를 저버리고 싶지 않았던 것 같기도 하고, 어쩌면 부채감이나 압박감이었던 것 같기도 하다.

　그러나 이것 하나는 확실했다. 그 말이 하고 싶었다는 것. 싫다는 말도 좋다는 말도 전부 속내에서 나온 정직한 말들이었다. 에세이를 솔직하게 쓰는 건 당연한 거 아니야? 누군가는 그렇게 물을지도 모른다. 그러나 그것은 모두 입 밖에 내본 적 없는 말들이라,

우리에겐 의미가 있었다. 난 외로움을 타지 않았고, 여름방학은 순식간에 지나갔으며, 삶은 가시밭길이었고, 나는 네 손을 잡았다는. 어떠한 고백이자 어쩌면 고해일 말들.

그 서툴고 미성숙한 진심들을 이 책에 나열한다.
우리가 채운 공백이 당신에게도 의미 있기를 바라며.

물고기는 글을 쓰지 않아
ⓒ고예은 쓰다.

　　내가 보이는 곳

제1부　위험불감증

──────────
여름여름겨울겨울

3~5월은 봄, 6~8월은 여름, 9~11월은 가을, 12~2월은 겨울. 교과서에서는 우리나라의 계절을 네 가지로 분류하고 있다.

그런데 이상하다. 봄과 가을은 어디로 갔을까. 겨울이 끝나고 비가 내리니 태양이 뜨겁게 타오르고, 여름이 끝나고 잎이 물들 새도 없이 세상이 하얗게 변했다. 봄, 가을에 입을 새로 산 옷은 아직 택을 떼기도 전인데, 작년에 산 패딩은 어느새 닳아버렸다. 어제까지 교실에는 주소 없는 땀내가 가득했는데, 오늘은 도둑맞은 무릎 담요를 요란스럽게 찾고 있다.

가지런히 분류해 놓은 교과서의 계절들은 과연 안온한가. 네 개의 계절로 정연하게 구분한, 정직한 교과서는 이대로 안녕한가.

물고기는 글을 쓰지 않아
©박성근 쓰다.

새벽에 화재경보가 울렸다. 이사 온 이후에는 단 한 번도 화재경보가 울린 적이 없어서, 학교에서처럼 오류겠거니 하고 계속 잠을 이으려고 했다. 아무리 여름이라지만 생각보다 방 안의 공기가 뜨거워, 꺼 두었던 선풍기를 다시 켰다. 다시 잠을 자기 위해 침대에 누워 눈을 감아 본다. 경보음이 꽤 오래 울린 것도 같은데 어느새 나는 경보음을 마치 꿈으로 느끼며 깊은 잠이 들었다.

물고기는 글을 쓰지 않아
ⓒ박성근 쓰다.

태양이 뜨겁게 타오르는 여름방학에 잠에서 깨니 해가 서쪽에 떠 있네.

잠이 들기 전에 하늘을 보니 어째서인지 달 대신 태양이 동쪽에 떠 있네.

물고기는 글을 쓰지 않아
©박성근 쓰다.

이 벼 락 맞 을 인 간 아

알람 소리를 듣고 일어나니
아침 8시.
머리도 감지 않고 서둘러 등교했다.
학교 수업을 귀로 듣는지 코로 듣는지
병든 닭처럼 졸면서도
자고 싶다는 생각만 하다가
집 가고 싶다는 생각만 하다가
5분마다 시간을 확인하며
마침내 다가올,
축복 같은 하교 시간을 기다린다.
연례행사처럼 분기별로 찾아오는 시험 기간,
이번엔 열심히 공부해야지, 나른한 다짐.
책상 앞에 앉은 지 20분 만에
순한 강아지처럼 새근새근 잠들고
잠깐 자는 잠은 오히려 개운하다고 했던가.
새우잠에서 갓 깨어난 머리로
학원에서 시험을 위한 싸움을 시작한다.

초조하고 불안하고,

잘하고 싶고,

잘해야 하고, 잘해 내야만 하고,

그러나 하기 싫고,

왜 해야 하는지 모르겠고.

나는 그동안 무엇을 했을까.

왜 미리 공부하지 않았을까.

새벽 3시, 오늘도 벼락치기로 밤을 지새우는 나.

어쩌겠는가, 미리 준비하지 않은 내 업보지.

안 그러냐, 이 벼락 맞을 인간아.

물고기는 글을 쓰지 않아
ⓒ정우형 쓰다.

미루기 종목 국가대표

나는 미루기 종목이 있다면 아마 국가대표가 되었을 것이다. 하기 귀찮은 일을 미루는 것만큼 내가 잘하는 것은 없다. 해야 하는 일이 많은 걸 알지만, 행동으로 옮기는 일은 많지 않다. 운동선수가 매일 몇 시간 자신의 종목을 반복하듯, 몇 가지의 할 일을 있는 대로, 최대한, 열심히 미루고 또 미룬다. 무언가 미룰 때마다 '내일부터 해야지' 하면서도, '미루지 않을 수 있는 방법은 무엇일까' 생각한다. 내 생각에는 누군가 나를 감금해서 강제로 미루는 버릇을 교정하지 않는 이상, 나는 고쳐지지 않을 것 같다는 생각에 이르렀다. 수행평가를 준비할 때, 시험을 위해 공부를 해야 할 때, 기말고사가 끝난 뒤 다음 학기 또는 다음 학년을 준비해야 하는 학기 말. 그동안 나를 구속하는 건 아무것도 없었다. 어떤 일을 언제까지 해야 한다는 강제 역시 어디에도 존재하지 않았다. 행동을 바르게 고쳐야겠다는 형식적인 다짐은 수백 번 늘어놓았지만, 시도 때도 없이 반복하는 미루기 습관에, 나는 나에게 불명예 금메달을 수여할 지경이다. 오늘도 나는 미루기 종목 국가대표로서 나의 위대한 행동을 성찰해 본다.

물고기는 글을 쓰지 않아
ⓒ정우형 쓰다.

내 가슴을 열어보면 갈린 고기처럼 문드러진 심장이 보일 것이다. 상처 없이 산 사람 없겠지만서도, 비정상적인 나에겐 회복하기도 전에 그 상처를 짓이길 새로운 상처들이 무성하게 생겼으니까. 내 정신이 지금보다 더 나약했다면 내 몸에 살들은 진작에 칼로 도려내졌을 것이다. 내 몸 선을 말끔하지 못하게 만드는 살을 예리한 칼로 도려내는 상상은 이미 수도 없이 해왔으니 말이다.

외모에 대한 강박은 그냥 생긴 것이 아니다. 남들이 말하는 아름다움이 무엇인지 알기 전에 이미 나는 그 아름다움에 미치지 못한다는 것을 먼저 배웠다. 얼굴이 왜 이렇게 크냐는 외삼촌의 말, 애가 너무 통통하다는 이름도 모를 친척 어른들의 말, 이름보다 돼지라고 먼저 부르던 초등학교 1학년 시절 옆자리 남자아이의 말, 롤링페이퍼에 내년엔 옆으로 크지 말고 위로 크라던, 지금도 같은 학교에 다니는 옆 반 남학생의 말. 그리고, 다른 여학생들에게 나보다는 날씬하다고 말했다던, 우연찮게 또 옆 반 남학생의 말.

또, 그리고, 내가 가장 듣기 싫었던 말,

살 빼면 참 예쁘겠다.

예쁘단 말을 들어본 적은 없는데 살 빼면 예쁘겠다는 말은 수도 없이 들었다. 칭찬인지 욕인지 알 수 없는 말. 듣고 웃을 수도, 화를 낼 수도 없는 말. 듣는 당사자의 마음을 할퀴는 말.

날 정말 좋아해 주었던 친구도 했던 말.
날 예뻐했던 선생님도 했던 말.
매일 얼굴을 보고 사는 가족들도 뱉은 말.
"너랑 제일 친하다"라고 입을 모아 말하는 그 친구도 뱉은 말.

그 말을 들은 날 밤이면, 나는 베개가 다 젖도록 하염없이 울었다.

그냥 예쁘다고 해주면 얼마나 좋을까.
어리고 여린 아이에게 할 수 있는 말이 그 말뿐이었을까.

아빠는 내가 조금이라도 살이 붙은 게 눈에 보이면 귀신같이 살 빼란 말을 했고 엄마는 술만 마시면 자기를 닮아 그렇다고, 미안하다며, 울었다. 또래 남학생 같은 오빠는 뭐, 무슨 말이 더 필요한가.

사실 이런 우리 가족에 문제는 나밖에 없었다. 나도 이렇게 태어나고 싶어서 태어난 건 아니지만 가족들도 이런 내가 태어날 줄 모르고 낳았을 테니까 누구를 원망하랴. 가족들이 내게 이런 말을 하는 건 잘못된 건 맞지만, 한평생 뚱뚱하게 살아본 적 없는 사람들은 내 심정을 모를 테니, 그도 그럴 만하다.

태어난 이후로 날씬해 본 적이 없는 사람에게 뚱뚱한 사람은 게으르다고 말하는 것은 그 사람의 삶을 게으름으로 단정하는 것이나 마찬가지다. 단 한 번도 날씬한 자신을 본 적이 없는 사람에게 남들이 말하는 '날씬한 자신'은 그저 선망, 꿈, 그 정도로 느껴질 뿐이다. 그러니 그들이 뱉는 말들은 그저 내 심장을 곤죽으로 만들 뿐이다.

언젠가 염화칼륨과 주사기를 사서 정맥에 주입하는 계획을 세운 적이 있다. 내가 죽을 수 있는 방법 중 가장 멀쩡하고 예쁘게 죽을 수 있는 방법을 선택한 것이다. 내가 죽고 나서 그 모습을 볼 엄마가 걱정된 것도 있지만, 땅에 떨어져 사지가 뒤틀리거나, 손목이 너덜너덜해진 모습으로 생을 마감하긴 싫었다.

죽음을 다짐하기 전에 몸을 씻으며 내가 왜 이런 다짐을 하게 되었는지 떠올려봤다. 내 마음을 찢어놓은 그 말들을 떠올리니, 가슴에 차가운 피가 차올라 어쩔 줄 모르던 어린 내가 안쓰럽게 느껴졌다. 그 상처를 보듬어줄, 흉이 아닌 흉을 부끄럽지 않게 해 줄 누군가가 있었다면, 적어도 스스로를 자책하며 아까운 시간을 허비하지 않았겠지.

나는 나의 내면을 보살피는 방법을 나중에야 깨달았다. 나처럼 타인의 말에 하루하루 흔들리며 살아가는 누군가가 있다면, 이 글이 그들에게 위로가 되고 의지가 되기를 바란다.

물고기는 글을 쓰지 않아
©비(雨) 쓰다.

주님
제게 총 한 자루만 주십시오
저를 베어낸 이들 전부를 쏘고 갈 테니
제게 총 한 자루만 주십시오

등에 창을 꽂아 넣은 놈
뒷목을 잘게 다진 놈
다리를 부러뜨린 놈
그 치들을 다 쏘기엔 몇 발로도 모자랄 테니

등에 창을 꽂게 한 놈
뒷목을 잘게 다져지게 한 놈
다리를 부러지게 한 놈
손을 뭉개지게 한 놈만 쏘고 가겠습니다
그러니

주님

제게 납탄 한 발만 주십시오

저를 베게 한 이를 쏘고 갈 테니

제게 납탄 한 발만 주십시오

물고기는 글을 쓰지 않아

ⓒ박서월 쓰다.

―――――――――
미련을 뿌리 삼아

　어릴 적 내 별명은 ‘고독한 고예은’이었다. 성씨로 시작하는 단어를 이어붙이는 일차원적인 제조과정에 의한 결과였다. 나와 관계 없는 단어인 게 당연했으나, 지어준 아이들은 내게 어울리게 잘 지었다며 깔깔거렸다. 매일 교실에서 외로이 책을 읽는 내가 외로워 보인다나.

　둘에게는 미안하지만 나는 인정할 수 없었다. 나는 책만 있으면 세상이 충만한 아이였다. 책장만 열면 온갖 세상이 열리는데 외로울 시간이 있을 리가 없었다. 둘은 당연한 이치를 설명하듯 덧붙였다. 사람이랑 어울려야지, 왜 혼자 있어? 외롭잖아. 솟구치는 되물음에 목구멍이 틀어막혔다.

　외롭다고? 외로운 건 그쪽이었다. 버려졌고 버려질 거면서 자리를 지키는 사람. 그래서 다른 곳에서 온기를 못 빌리는 사람. 그게 외로운 거였다. 버려진 곳에서 꾸역꾸역 버티고 서있는 사람이야말로 외로운 것이었다. 그들도 그 사실을 알았으리라. 그럼에도 그들이 버티고 서있던 이유는 무엇일까, 어린 나는 이해하지 못했다. 무엇이 그들의 발목을 잡았는지. 그리고 나는 그들이 10대가 되기 전 깨달은 것을 20대가 되기 전에서야 알게 된다.

즐거움의 비율이 너무 컸다. 그대로 놓아버리기엔 즐거움의 비율이 너무나 컸다. 나는 껄끄러워진 친구에게 연락을 망설이며 그 사실을 깨달았다. 그 아이는 어느 날부터 시큰둥하게 굴었다. 그리고 이해할 수 없는 이유로 화를 냈다. 나로서는 날벼락 같은 일이었고, 적당히 관계를 회복하려 해도 진전이 없었다. 나도 무시하고 냉랭하게 굴면 돼. 미움받으면 나도 미워하면 되잖아. 굳이 속을 썩여야 해? 그런 물음들 사이로 과거가 발목을 잡았다.

웃는 얼굴로 떠들던 날, 싸웠다가 엉성하게 화해했던 날, 비밀이며 약속을 나누던 날. 이 순간만 넘기면 다시 그날이 오리란 감.

그래, 즐거움의 비율이 너무 컸다. 지금의 그 애가 무뚝뚝하고 시큰둥해도 내 기억 속에는 여직 웃음이 많은 친구였다. 함께 지나온 날이 즐거웠기 때문에, 그래서 미련이 남았다. 다시 웃고 떠들 수 있게 될 거야. 그러니까 너는 그 애를 떠나선 안 돼.

나는 발목을 내어준 채 거기에 붙박였다. 오래, 아주 오래, 그 아이가 돌아오길 기다렸다.

물고기는 글을 쓰지 않아
©고예은 쓰다.

_____

권태

    권태감이란 뭘랄까, 매우 건조한 감정이라고 해야 하나? 어떠한 의지도, 감정도, 생각도 없는 감정은 그 안을 구성하는 무엇도 없이 메말라가는 상태라 마음속에 끝도 없는 거대한 사막이 들어찬 감정이다. 내리쬐는 태양 아래 가만히 있기만 해도 갑갑해지는 건조한 모래바람 불어오고, 이를 이겨내야 할 어떠한 의지조차 없는 감정. 나에게 권태감이란 그런 감정이다. 그러다 지쳐 드러눕고는 나를 얇게 층층이 덮어오는 모래들에 몸을 맡긴 채, 그저 눈을 감고 가만히 이 모래에 깔리고 깔려, 결국 저 지구 반대편으로 밀려나가, 모래 더미에서 벗어나기만을 기다릴 뿐. 건조한 모래알이 내 몸을 뒤덮다 못해 머릿속까지 가득 차서, 내 머리가 마치 커다란 모래주머니가 된 듯 무겁고, 뇌 신경계 곳곳마다 모래가 끼어 모든 사고에 글리치가 생긴 것 같다. 이는 마치 어릴 적, 텔레비전의 화면이 지지직거리는 거리며 집안의 공기를 싸늘하게 만들었던 그때 그 순간의 느낌이랄까. 권태는 나의 뇌를 마비시킨다. 누군가에게는 번아웃이 되고, 누군가에게는 슬럼프가 되기도 하는 이 권태로움으로부터 벗어나고 싶어도 벗어날 수가 없다. 벗어나기 어렵다. 가끔 즐겨하던 공상마저 나약하게 만드는 이 권태, 이 권태로부터

어떻게 자유로워질 수 있을까. 오늘도 잠자코, 이 권태가 지나가기
를 권태롭게 기다린다.

물고기는 글을 쓰지 않아

ⓒ비(斐) 쓰다.

―――――――
뚜벅뚜벅

삶을 살아가는 것은 가시밭길이다. 때로는 발이 찔려 피가 줄줄 나기도 하고, 살갗이 베여 상처가 흉터로 남는 가시밭길이 곧 삶이다. 걸어가다 쉬이 혼자라 느낄 때면, 헤어나 올 수 없는 고독에 숨이 막힐 때도 있다.

촛불이 꺼져도 살아간다는 어떤 시인의 말처럼, 비록 지금이 막막하지만, 철철 흐르는 피를 닦아 내고, 마음에 아로새겨진 흉터를 치유하고, 덩그러니 놓인 외로움을 곱씹으며, 쉽지 않은 오늘 나에게 주어진 길을 뚜벅뚜벅 걸어가 보기로 했다.

가시밭길 끝에 환한 빛과 아름다운 꽃들이 기다리고 있을 것이라고 믿으며.

언젠가는 환한 빛에 닿을 수 있을 거라고 기대하며.

누군가와 함께, 아름다운 꽃의 향기를 맡을 수 있기를 소망하며.

물고기는 글을 쓰지 않아
ⓒ우연 쓰다.

―――――――

의미

    국어사전을 보면 단어의 의미가 적혀있다. 세상 만물에는 각자의 의미가 존재한다. 의미가 없는 건 존재하지 않는다. 하늘을 날아다니고 있는 새도, 땅에 굴러다니는 돌도, 「청산별곡」 속에서는 화자가 동경하고 원망하는 존재들이다. 삶은 상대적인 것이어서, 누군가에게는 쓸모없다고 생각되는 것도 어떤 이에게는 사랑이 되고 아픔이 되기도 한다.

    쓸모없는 존재가 어디에 있는가. 존재의 의미가 없는 존재가 어디에 있겠는가. 아무리 흔하고, 아무리 평범하고, 아무리 의미가 없다고 생각될지언정, 존재하는 것은 존재하는 것만으로 충분히 가치로운 것 아닌가.

물고기는 글을 쓰지 않아

ⓒ우연 쓰다.

마음

　어린 시절 모든 이들은 언제나 자신의 마음대로 하고 싶어 하는 경향이 있었을 것이다. 나 역시 그것이 좋은 것이든 나쁜 것이든, 옳은 것이든 옳지 못한 것이든. 그저 마음이 가는 대로 하려 했다. 폭풍 같은 시간이 나를 스쳐 지나간 후, 마음이 가는 대로 행동하는 것에 서툴러졌다.

　어째서인지 나는, 나의 의견 따위가 무의미했던 집단에서 '나' 아닌 다수의 의견을 따라가고 있었다. 타인에게 상처를 주면 안 된다는 통념이, 내가 속한 집단에서 나의 입을 다물게 만들었다. 마음이 마음대로 되지 않았다.

　내 마음은 어디에, 어떤 형상으로 서 있는 것일까. 시간이 지나면 내 마음도 결국 내 마음에 굴복해, 나의 마음이 나의 마음이 아닌 것이 되어버리는 순간이 오는 것은 아닐까.

물고기는 글을 쓰지 않아
©우연 쓰다.

유연한 막대

어린 나는 이해할 수 없었다. 저 아이들은 왜 말썽을 피우고 저렇게도 탐욕스러운지, 저 아이들은 왜 욕을 하고 질서를 어기는지. 그 모든 문제에서 추호만큼도 납득이 불가능했다. 나는 모든 의문을 표출했다. 왜? 왜 그러는 거야? 당신은 그 모든 것에 답해주지 않았고, 그저 흘려넘기라는 말만 했다. 그러려니 해, 좀 더 유연하게 살아, 걔네는 그런 성격인 거야.

당신이 당연하다고 말할수록 나는 의아함만 늘어갔다. 나는 당신의 말대로 행동하는데 어째서 그들은 그렇지 않은가? 내겐 타인을 배려하라 가르쳤으면서 왜 그 애들과 당신에게만 관대한가?

나는 답을 듣지 못한 채 나이를 먹어, 깍쟁이에 불평꾼으로 자랐다. 그러나 옛날처럼 불평이나 하고 있을 틈은 없었다. 성장과 함께 확장된 세계는 수십 배의 의문을 생산했고, 심지어는 원칙을 어기는 것을 긍정했다. 뻣뻣한 사람은 자연히 부러지는 구조였다.

나는 부러졌다. 꺾이고 내동댕이쳐진 유리 막대처럼 끝도 없이 깨졌다. 크고 작은 파편으로 갈려 바닥에 널브러졌다. 그러나 버려진 것은 아니라, 나는 도로 수복되어야만 했다. 가루가 된 부분은 비워둔 채, 큰 조각을 껴안고 작은 조각을 사이에 끼웠다.

일말의 인력으로 형태를 유지하는 유리 막대는 이제 곧을 수가 없었다. 빈 만큼 굽었고 어긋난 만큼 곱았다. 꺾이라면 꺾였고, 뒤틀면 뒤틀렸다. 더 이상 부러지는 일은 없었다. 대신 파편이 서로를 문질러 깎아낸 유리 가루를 흘렸다.

딸이 유연하게 살길 바란 당신은 이 모양에 만족하고 있을까, 문득 궁금해졌다.

물고기는 글을 쓰지 않아
ⓒ박서월 쓰다.

첫 만남에 인스타를 교환했다.

나로서는 드문 일이었는데, 워낙 예상치 못하게 일어난 일이라 허둥거리다가 아이디를 그대로 내어줘버렸다. 나는 그 아이의 여행이나 일상을 고스란히 보게 되었고, 때때로 나의 것까지 드러내게 되었다.

그러나 관계의 진전은 다른 얘기였다. 나는 그 아이가 저번 주에 어딜 갔는지는 알았지만 얼굴은 알아보지 못했다. 어떤 일이 있었는지도 알았지만 어떤 성격인지는 몰랐다. 내게 있어 그 아이의 얼굴은 언더바와 영어가 섞인 아이디였고, 그 아이에게도 마찬가지일 터였다. 그래서 우리는 살로 된 얼굴에 낯을 가렸다. 인스타를 교환한 날보다 더욱 소원해진 것이었다. 친분을 만들고자 결정한 것이 되려 거리를 벌리는 기분이었다.

어쩌면 이건 당연한 일이었을지도 모른다. 팔로우 목록에서 친구의 이름을 발견해 그 아이와 친하냐고 물어보면 부정하는 애들이 왕왕 있었으니까. 그 애들은 이름만 겨우 아는 사람과의 팔로우를 늘려서 200, 300까지 숫자를 불렸다. 어떤 사람인지도 모르면서 당연하다는 듯이 서로의 팔로우 목록에 있었다.

아무도 의문을 갖지 않는 그 시스템을 보면서 생각했다. SNS를 팔로우하는 이유는 그 사람과 친구이기 때문이 아니던가? 최소한 친구가 되고 싶기 때문이 아니던가? 모순적이라고 생각했다. 일상을 엿보는 주제에 어쩜 이렇게 남일 수 있을까.

물고기는 글을 쓰지 않아

ⓒ고예은 쓰다.

거울 속에 단추가 한 칸, 한 칸 어긋난 잠옷을 입은 날 본다.

그저 한숨만 푹- 푹-

한쪽 무릎께에 간질거리며 걸쳐져 있는 잠옷의 모양새도 단추를 다 채울 때까지 자각하지 못한 내 모양새도 그저 웃길 뿐이다. 그 꼴이, 그런 나 자신이, 살아온 그동안의 세월 동안 단 하루도 빠짐 없이 한심하던 내 모습을 일축하는 것 같다.

고작 18일 늦게 이름을 알렸을 뿐인데, 그 18일 동안 한 해가 바뀌어 한 살 어린아이들과 같이 학교를 다니느라 매번 내 속도는 조금씩 일렀는데, 초등학교 땐 또래보다 예민하지만 세심한 면도 있는 나를 그저 짜증이 많고, 아는 체하는 아이로 바라보기만 했고, 중학교 땐 본인들과 다르게 반항하지 않는 나를 이해하지 못하고 무시했고, 고등학교 때는 함부로 뱉는 어린 농담들에 웃지 않는 나를 불편해했다. 사춘기가 저물어 갈수록 수준은 비슷해져 갔고, 항상 앞서가던 나를 앞지르는 이들이 많아지자, 나는 숨이 딸려 쉬이 지치거나 쉽게 넘어졌다.

그제야 어긋나있는 내 모습이 점점 선명하게 보인다.

이 나이를 먹고도, 어른스럽다는 말을 수도 없이 듣고도, 뭐 하나 제대로 끝내지 못하고, 뭐 하나에 빠지면 당장에 중요한 일은 생각도 못 하고, 주변 소음에 집중하지 못해서 지문 하나를 읽는데 몇 분이 걸리는. 그런 나 자신이 한심하고 짜증 나서 예전처럼 야무지고 꼼꼼한 내가 되기 위해 생긴 강박 때문에 점점 더 나 자신을 미워하고 부끄럽게 여기게 된다.

이렇게 처음부터 어긋나있는 내 인생은 마치 요상하게 찌그러져 있는 거울 속 잠옷처럼 통째로 망가진 것만 같다. 앞으로 몇 십 년 후의 내 인생도 크게 다르지 않을 것만 같아서 그 두려움이 조금씩 차올라 눈이 뜨뜻 아득해져 가며 가슴이 빠듯하고 목이 갑갑하니 따가운 게 참기 버거울 정도로 맺혀오는 눈물같이 찌그러진 잠옷 위에, 망가진 인생 위에, 한 방울, 두 방울 떨어져 무분별한 방향으로 퍼지는 자국을 남긴다.

디자이 오사무의 <사양>이라는 책 속 누나에게 남긴 유서에 '누나. 내겐 희망의 지반이 없습니다. 안녕. 결국 내 죽음은 자연사입니다. 사람은 사상만으로 죽을 수 있는 게 아니니까요.'라고 말한다. 미래에 확신이 없는 삶을, 어긋난 인생을 내가 이어가는 게 의미가 있나. 어긋난 단추는 다시 끼우면 된다지만 어긋난 인생은, 그렇게 흘러버린 시간은 되돌릴 수가 없다. 무엇 하나 똑바로 할 줄 아는 게 없는 내가, 이렇게 의지박약하고 끈기 없는 내가, 혼자서 끝내 서서히 죽음을 맞이할 때까지 살아갈 수 있나.

난 삶을 유지할 능력이 없으니 내가 죽는 건 자연사일 것이다. 나의 죽음으로 어긋난 단추를 모두 풀어버림으로써 모든 걸 처음으로 되돌리는 게 모든 게 엉망진창일 인생을 죽음으로 마무리 짓는 게 애초에 이 세상에 존재하지 않는 게 어쩌면 옳은 것일지도 모른다. 어쩌면 나는 오류일지도 모른다. 나의 죽음으로 이 세상 속에서 오류를 지워서 처음부터 아무 문제 없는 것처럼 그렇게 되돌리는 게 맞을지도 모른다.

나는 어디에서부터 잘못된 것일까.
어디에서부터 잘못 끼워진 것일까.
잘못 맞춘 단추를 바르게 여미어 본다.
바르게 그리고 단정하게.

물고기는 글을 쓰지 않아
ⓒ비(雨) 쓰다.

<hr>

기다림

아무 생각 없이 누워있다가 일어나면, 드문드문 찾아오는 불청객이 있다. 기립성 저혈압. 그 녀석은 나랑 별로 친하지도 않으면서 잊을 만하면 나를 찾아온다. 내 시야를 하얗게 만들고, 내 머리를 멍하게 만드는 불청객. 오늘도 아무 생각 없이 가만히 서서, 그 녀석이 조용히 나를 떠나갈 때까지 기다려본다.

이 또한 지나가리라.

물고기는 글을 쓰지 않아
©박성근 쓰다.

———————————
미아

아이는 부모와 함께 낯선 곳으로 여행을 왔다.

아이는 신이나 여기저기를 뛰어다니다, 문득 뒤를 돌아보니 누구도 있지 않았다.

아이는 두려움으로 가득하다. 차가운 외로움에 몸을 떤다.

시야에는 어둠만이 물들고, 귓바퀴에는 쇳소리만이 울린다.

아이는 땅에 박힌 나무처럼 한 발짝도 움직이지 못한 채, 눈물만 흘린다.

이내, 환한 그림자가 드리우며 아이가 견뎌온 세상에 다시 빛이 들어온다.

어둠이 씻겨 내려가고, 떠나간 뱃고동 소리가 들려온다.

아이는 여전히 울고 있었지만, 더 이상의 두려움은 아니다.

아이는 흙에 심어진 수국처럼 움직일 수가 없었다.

물고기는 글을 쓰지 않아

ⓒ박성근 쓰다.

―――――――――
그래, 그럴 수 있지.

　인간은 자신이 알지 못하는 무언가에 대해 정의하고 대비할 수 있도록 진화해왔다. 그래서 자신과 다른 누군가를 스스로 단정하고 그를 기반으로 두려움과 거부감을 갖는 것은 어쩌면 당연한 수순이며, 그렇기에 오해와 편견, 그리고 차별 등 인간의 편협한 사고는 불가항력적 현상일 것이다. 그러나 우리 인간은 직접 말로 소통하여 경험을 나누며 발전하도록 진화해왔다는 점에서, 진보적이고 우월한 인간이라면, 우리가 살아남기 위해 생겨난 불가항력적 편견을 인간의 의사소통 능력으로 보완할 수 있지는 않을까.

　당장에 마주 보는 사람도 유전자 속 돌연변이로 인해 나와 닮은 게 거의 없는 것이 현실이며, 그래서 우리가 삶을 영위하는 세상 속에서 우리는 상대가 어떤 사람인지 개인이 판단하는 단편적인 모습만으로는 알 수 없다. 저 사람은 왜 피부색이 나랑 다른지, 저 사람은 왜 저런 식사를 하는지, 이 사람은 왜 이런 말들을 실례라고 여기는지, 좀 전에 그 사람은 왜 그런 옷을 입었는지, 지난번에 그 사람은 왜 그런 행동을 했는지, 어떤 사람은 왜 그런 사람을 사랑하는지, 그때 그 누구는 왜 그들을 미워하는지.. 이는 편견 안에서 상대를 함부로 판단하기보다는 직접 물어보고 대답을 들어야 비로소 이해할 수 있으며 나아가 존중할 수 있는 법이다.

오해와 편견의 시선을 아예 거두기는 어렵다. 진보적인 인간이라면 오해와 편견을 이겨내기 위해 노력하는 것이 맞을 것이다, 존중하기 어렵다면 이해하면 된다. 그 사람이 가진 외모가, 신념이, 생활 방식이 남들에게 해를 입히지 않는다면 비판도 혐오도 필요하지 않다.

이해되지 않는다는 이유로 배척할 필요 있는가. 오해와 편견을 받는 당사자는 어쩌면 누구의 이해도 필요로 하지 않을 수 있다. 그들 또한 자신들을 이해하지 못하는 누군가를 이해하지 않을 테니까. 그저 서로에 대한 이해와 존중과 배려를 위해 대화를 나누고 서로가 어떤 사람인지 있는 그대로 바라본다면, 서로 다른 인간이란 크게 다르지 않다는 것을 발견하게 될 것이다. 마치 아침에 일어나기 싫고, 일하기 싫고, 사치에서 행복감을 느끼고, 해야 할 일을 억지로 하기 위해 느적느적 기어나가고, 침대에 누워 시간이 애매하다는 이유로 30분에 한 번씩 씻는 것을 미루는, 당신의 일상과 다른 누군가의 일상이 크게 다르지 않은 것처럼.

당신이 도저히 이해되지 않고 부정적으로 느끼는 누군가를 만난다면, 소통을 통해 상대의 '다른' 모습을 이해하기 위해 노력하기를 바란다. 만약 당신과 조금 다른 상대를 받아들일 의지가 느껴지지 않는다면, 한 번 되뇌이며 자신의 내면과 먼저 소통해도 좋을 것이다.

'그래, 그럴 수 있지.'

물고기는 글을 쓰지 않아
ⓒ비(雫) 쓰다.

제2부　체온의 전도

오 역

나는 울음조차 소리가 없는데
당신은 걸음조차 소리가 있네

나는 그래
소리 없는 무성 영화처럼
멍청히 흘러나오는데
당신은 그를 해설하는 변사처럼
조잘조잘 잘도 떠들어대고

나는 그래
시대 잃은 시조처럼
가만히 쓰여있기만 하고
당신은 그를 가르치는 이처럼
내 속에도 없는 말을 대변하지

떨림이 없는 나의 숨은
당신의 숨에 공명한 적 없는데
다만,

당신의 파장이 묻어
순하고 차분하되 여리고 분노했던
내 눈과 손과 낯

당신의 파동에 묻혀
크고 엷되 높고 작았던
내 숨과 글과 말

물고기는 글을 쓰지 않아
ⓒ고예은 쓰다.

케이크는 달디달다

나의 모난 마음을
여기저기 썰어
작은 케이크 조각으로 만들었다

몇 마디 말로 정성스레 포장해
네게 가져가본다

너는
그렇게나 울던 얼굴로 포장을 뜯고
내 케이크를 맛있게도 먹어 치운다

행복하니
그거 원래 내 거였는데
너 준 거야
시간 내어, 너 준 거야.

여백을 채울 건 아무 것도 없는데
다, 너, 준거야.

물고기는 글을 쓰지 않아
ⓒ적운 쓰다.

_____
멍

멍
개가 짖네

멍
한 대 맞은 걸까

멍
네가 지나간 자리에 물든 그 순간이 보여

물고기는 글을 쓰지 않아
ⓒ적운 쓰다.

사랑한다는 말이 내겐 너무 무거워 너의 사랑에 응답하지 못했다. 나를 사랑하는 너의 눈빛을 작위적이라고 느꼈다. 너의 친절을 의심했다. 나에게 닿고 싶어 하던 너의 손길을 나는 거부했다. 너에 대한 나의 진솔하지 못했던 감정을, 야속하게 느낀 건 너만이 아니었다.

나를 미워하겠다던 너는, 나를 붙잡고 달래지 않았다.
나를 사랑한다고 노래했던 너를 미워했다.
나 좀 봐달라는 너의 눈빛을 믿지 못했다.
너의 손길을 그리워했다.

이 모든 건
사랑이 두려웠던 내가
너에게 사랑을 표현하는 방법이
서툴렀기 때문이었을 것이리라.

물고기는 글을 쓰지 않아
©비(雫) 쓰다.

환멸(幻滅)

　사랑을 말하는 너의 입술은 가벼웠고 나를 바라보는 너의 눈빛
은 작위적이었다. 네 마음을 함부로 재단했던 건 내 잘못임을 알지
만 자꾸만 뒤통수를 찔러대는 내 감을 무시할 수 없었다.

　분명히 아직은 부담스럽다고 말했다. 공공장소에서 그런 행동을
하는 건 옳지 않은 것이라고도 말했다. 나는 아직 호감일 뿐이지,
사랑은 아니라고도 말했다. 그런 나를 애석하게만 바라보는 너에게
더러운 손으로 애정을 베푸는 것은 사랑이 아니야. 나의 거절보다
네 욕망이 앞서는 것도 사랑이라 할 수 없어. 우리의 관계는 자랑
거리가 아니야. 진정한 사랑은 확신시키기위 애쓰는 것이 아니야.
기다려주는 것도 사랑이야. 라고 알려줄 걸 그랬나 보다.

　비정상적인 관계를 끝내기 위한 시간은 너무 촉박했다. 욕망이라
는 단순한 네 감정에 시간이 쌓여 집착으로 변하기 전에 서둘러
끊어내야 했다. 그걸 모르는 너는 나를 탓하기만 했다.

　너의 사랑은 그저 욕망을 위한 어설픈 연기였고 나를 불편하게
만들 뿐이었다. 어영부영 끝나버린 한 달짜리 연애가 불만족스러웠

던 너는, 이별한 자신에 심취해 내 눈앞에 어슬렁거리는 것으로 다시 나를 불편하게 만들었다. 예상과 다르게 흘러간 연애와는 별개로, 너의 시나리오대로 불편한 기색을 보이는 내 모습이 이번에는 만족스러웠을 것이다. 난 그 사실을 잘 알고 있었다. 너를 알고 지낸 몇 달 사이에, 너에 대해 많은 것을 파악한 나에게 너의 행동은 너무 뻔했다. 나는 그런 네게 진절머리가 났다. 내가 해야 하는 건 또다시 네 예상대로 움직여주지 않는 것이라고 생각했다. 시야에 네가 걸려도 아닌 척, 바로 앞에 마주 보는 상황에 놓여도 울렁거리는 속을 애써 가라앉혔다. 네가 너와 나의 관계에 대해 이상한 소문을 퍼트렸다는 말을 들어도 나는 반응하지 않았다.

결국 나는 네가 가진 클리셰에서 벗어났고 비로소 자유로워졌다. 너와 나는 서로 사랑한 적이 없으니 그간의 시나리오는 없던 것이나 마찬가지라고 위로해 본다. 언젠가 철없던 너의 행동이 자랑스러운 일인 양 떠들어댈 네 소설에, 너와 나의 이야기는 더 이상 없길 바란다.

물고기는 글을 쓰지 않아
©비(斐) 쓰다.

_____

포옹

안아주라

내 뼈가 바스라지도록

나는 그 안에서 서서히 잃어버릴 테니까, 모든 걸

그러니 안아주라

내 폐가 터지도록

나는 다시 곱씹지 않을 거니까, 모든 걸

안아주라 다정하게

물고기는 글을 쓰지 않아

ⓒ적운 쓰다.

_____

고백

    나는 너와 나의 관계를 우리로 정의 내리고 싶었다. 그저 잠깐이라도, 스스로 그렇게 생각하며, 내 더러운 입을 벌려 세상 밖으로 태어나게 하고 싶었다. 네가 두 발자국 앞에서 뒤를 돌아 나를 보기라도 한다면, 저 멀리 아지랑이에 뒤엉키기라도 한 듯 나는 너의 얼굴을 똑바로 마주할 수 없을 것이리라.

    무어라 중얼거리는 음성이 내게로 와서 죽는다. 고개를 들어도 바뀌는 것은 없고, 이 모든 것을 부정하며 눈을 뜬다. 아무것도 보이지 않는 것이 맞아! 네가 나를 붙잡는다. 앞뒤로 나를 흔든다. 시선이 흔들리고 세상이 옅게 뿌옇게 되는 것을 느낀다. 어딘가 우직하게 아려오는 것이 한층 더 기분을 나쁘게 한다.

    펑, 눈앞의 세상이 터지고 얼굴에 길을 튼다. 너는 여전히 나를 놓을 기미가 보이지 않는다. 이제 아니야. 더는 아니야. 무의식적으로 거둬내지 못할 것들에게 삶을 내맡긴다.

    본디 살아가고 있다는 것은 틀렸다.

물고기는 글을 쓰지 않아

ⓒ적운 쓰다.

  무조건적인 사랑을 하지 않은 방법이 있나. 적어도 나에게 그런 것은 존재하지 않는 듯하다. 한 번 사랑을 시작하면 조건 없이 모든 것을 주고 싶어 하는 사람들이 있다. 대상이 무엇이든, 본인이 좋다고 느끼면 자신이 해줄 수 있는 그 이상을 바라본다. 나 또한 그러하다. 때마다 새롭게 느껴지는 사랑의 감정들이 너무 좋아서, 잊고 싶지 않아서 계속 갈망하게 되는 것이 사랑인가보다. 나는 누군가에게 특별한 존재가 될 수 있나. 되어본 적은 있었나. 의미 없는 생각일지 모르지만, 인간은 사랑하며 커가는 존재니까. 난 매번 누군가에게 헌신해 살아있다고 느낀다. 시간이 지남에 따라 천천히 대상이 바뀌어 나가는데, 때마다 내가 느끼는 이 감정들이 나를 살게 하고, 살아있길 잘했다고 생각하게 만들어 진실한 이 삶을 포기할 수가 없다. 사랑을 시작하면 살아 숨 쉬고 있다는 생각에, 그 대상이 날 모르더라도, 온전히 좋아하는 마음 하나만 가지고 삶을 살아갈 힘을 얻는다. 사람은 항상 사랑하고 꿈꾸어야 한다. 그래야, 살아갈 수 있다. 살아 나갈 수 있다.

물고기는 글을 쓰지 않아

©적운 쓰다.

일 년간 저는, 선생님께 어떤 학생이었을까요?

제 기억 속에 저는 말을 더듬고, 걷는 게 '뚝딱'이는 아이였던 것 같습니다. 칭찬을 받으면 티 나게 좋아하고, 어느 날에는 방방 뛰다가, 다음 날에는 뚱하게 가라앉는… 이런, 귀염성 없는 학생이었네요.

제 성격이 이렇다 보니 선생님께 크게 가까워질 기회가 없었던 것 같습니다. 그도 그럴 것이 발랄하게 재잘거리고, 성실히 질문하는 친구들에 비하면 접점이 없었으니까요. 저도 마음 같아서는 질문도 많이 하고 상담도 요청하고 싶었는데, 예의 성격 탓에 그러질 못하였습니다. 낯만 가리고 말도 더듬는데, 먼저 다가갈 수 있을 리가 없었지요. 그래서인지, 선생님께서 제게 잘해주신 일이 더 기억에 남는지도 모르겠습니다.

상담 때에 제 사기를 북돋으려 들려주셨던 대학 이야기도, 땡볕에 앉아있는 제 앞에서 만들어주신 그림자도(심지어 선생님은 까만 옷을 입고 계셨는데!), 언제든지 질문하라고 말씀하시던 목소리도, 차근차근 설명해주셨던 수업도, 저희를 존중해주시는 게 느껴지던 존댓말도, 포스트잇에 적어주신 칭찬도, 모두가 좋았어요. 워낙 상냥히 대해주신 것도 있지만, 제가 담임 선생님을 이렇게 좋아해 보는 게 처음이었거든요.

사실 가장 기뻤던 건 따로 있는데요, 제 머리를 쓰다듬어주신 일이었습니다. 저는 그때 이어폰을 끼고 문제집을 풀고 있었고 선생님은 저를 부르기 위해 제 머리를 가만히 쓰다듬어주셨어요. 저는 그 일이 제일 좋았어요. 스쳐 지나간 일이라 선생님께선 잊으셨을지도 모르겠지만요. 그러나 저는 그 순간을 유난스럽게 기억할 수밖에 없었습니다. 그야, 아무도 그렇게 안 해줬으니까요. 저는 중학교 시절부터 지금까지 이 키에, 표정도 뚱하고 애교스럽지도 않아서 누군가 쓰다듬어줄 일이 없었거든요. 내심 그런 유의 귀여움받는 일을 좋아함에도 불구하고요.

저는 여직 어리광이나 부리고 싶은데 시험이며 할 일들은 몰아치고, 어른들은 미숙함을 다그치고… 그러다 보니 어리광은 무슨, 어른스럽게 보이도록 안간힘을 써야 했습니다. 발돋움을 한 채로 걸어 다녀야 했어요. 위태롭게 휘청이면서요. 그래서 저는, 제 머리를 쓰다듬어주시던 선생님의 손길이 유난히 기억에 남았던 것 같습니다. 괜찮다고, 너는 아직 아이라고, 불안하게 까치 발을 드는 어린아이의 머릴 꾸욱 내리눌러주시는 듯했어요.

이런, 쓰고 보니 부끄러운 고백이네요. 평소에 못하는 이야기를 썼으니 당연한 일일까요. 그래도 그걸 감수할 만큼 이 이야기가 하고 싶었어요. 상냥하게 대해주셔서, 세심하게 신경 써주셔서, 제 고등학교 2학년 생활을 즐겁게 해주셔서, 1년 동안 정말 많이 감사했습니다!

물고기는 글을 쓰지 않아

©고예은 쓰다.

안녕하세요, 선생님. 올해 저의 담임을 맡아주시느라 고생하셨던 선생님께 감사의 인사를 드리고자 편지를 쓰게 되었습니다. 선생님은 저희가 처음 만났던 날을 기억하시나요? 저는 생경하게 기억합니다. 친구의 얼굴을 그리고 서로의 이름을 주고받은 후, 종이에 이름을 적어보라고 하셨던 기억이 납니다. 그 당시에 저는, 다른 사람에게 관심이 없어서 그런 활동을 귀찮게 여겼지요. 지금에서야, 돌아보면 우리 반 친구들이 학급에 빠르게 적응하여 서로 친근하게 다가갈 수 있도록 노력하셨던 것 같아요. 그 덕분에 우리 반은 서로의 이름을 빠르게 익히고, 부르며 친구가 되었습니다.

선생님, 저는 4월에 벚꽃이 많이 피었던 날에 우리 학급이 밖으로 벚꽃을 구경하러 나갔던 일이 기억납니다. 벚꽃은 우리 학급만큼이나 아름다웠고, 선생님께서 사주셨던 아이스크림은 봄바람처럼 시원했습니다. 수업 중에 담임 선생님과 밖으로 나가 벚꽃 구경을 한 건, 학창 시절에서 잊지 못할 추억이 되었습니다.

2학기가 시작되고, 새롭게 바뀐 시간표에 절망했던 기억이 납니다. 제가 싫어하는 수학이 3일 연속 1교시라니. 정말 힘들었어요. 선생님이 아니었다면, 제가 어떻게 버티었을까요? 선생님께서 재미있게 수업해 주신 덕분에 수업에 집중을 하고, 수학과 가까워질 수 있었습니다. 선생님, 1년 동안 시끄러웠던, 말 안 들었던 우리 2학년 4반, 애정을 담아 지도해 주셔서 진심으로 감사합니다.

물고기는 글을 쓰지 않아

ⓒ정우형 쓰다.

체온의 전도

그즈음의 할머니 댁은, 아니 할머니와 삼촌과 사촌 동생의 집은, 그다지 방문하기 좋은 곳이 아니었다. 낯을 가리며 우는 사촌 동생 때문이기도 했고, 우리를 알아보지 못하시는 할머니 때문이기도 했다.

사촌 동생은 귀여웠다. 지난 여름에 태어나 이제 막 머리가 숭숭 자라는 어린아이이니 당연히 귀여웠지만, 나에게 아이란 엘리베이터에서 잠깐 스쳐지나가는 꼬마들이 전부였기 때문에 그 애가 특별히 귀여울 수밖에 없었다. 포동포동한 손이며 통통 부운 얼굴, 아직 휑한 머리를 보는 것만으로 나는 헤실거렸다. 나는 그 집에 있는 내내, 내게서 고개를 홱홱 돌리기만 하는 그 애의 환심을 사려 안달이었다. 자세를 낮추고 장난감을 갖다주고⋯ 귀에 걸어둔 입꼬리는 덤이었다. 그러나 나도 만만치 않게 낯을 가려 목소리를 내지 않았고(어린아이와 놀아 줄 때 효과음이 중요하단다), 아이가 싫어할 것을 우려해 거리를 두고 앉아있었다. 그러니 호감도가 지지부진할 수밖에. 그런 내가 어지간히 불쌍했는지, 어른들은 아기의 손을 내게 대어주었다. 하다못해 손이라도 잡아보라고. 아기의 손은, '어린' 손은 정말로 보드라웠다. 축축했고, 따끈따끈했다. 머리카락이 쭈뼛 서는 것 같았다. 이렇게 작은 아기가 나처럼 커진다니! 이렇게 어리고, 약하고, 따끈따끈한 아이가… 나는 온통 새살인 손을 쥔 검지를 움직이지도 못했고, 놓인 후에도 그 잔열을 느꼈다.

점심은 작은 식탁에 옹기종기 모여 먹었다. 나는 아이의 건너편에 앉았고, 내 옆에는 할머니의 휠체어가 밀려왔다. 오랜만에 만난 할머니, 손녀이니 함께 먹으라는 배려였겠으나, 나와 할머니는 부자연스러울 정도로 서로를 보지 않았다. 할머니는 내가 낯선 사람이었기 때문에, 나는 그 사실을 알았기 때문이었다. 삼촌 내외는 아이를 챙겼고, 엄마와 이모는 할머니를 챙겼다. 오고 가는 배려 속에서, 나는 묵묵히 밥을 먹을 뿐이었다. 아이를 챙기긴 미숙한 나이에 노인을 챙기긴 너무 그가 날 몰랐으므로. 그러는 중에도 아이는 계속해서 모두의 관심을 끌었다. 의자에 서서 휘청거리거나 숟가락을 떨구는 식이었다. 사실은 오물거리며 밥을 먹는 것만으로도 이미 충분한 시선을 가져갔다. 대화의 주제는 자연히 그를 따라갔고, 할머니를 돌보던 엄마와 이모도 아이의 이야기로 신경이 쏠렸다. 내 옆의 '아이'는 그것을 기민하게 알아챘다. 그는 금방 젓가락을 내려놓고 방에 들어가겠다고 중얼거렸다. 그날 처음 바라본 그는 토라진 얼굴을 하고 있었다. 당신에게서 관심을 앗아간 애가 원망스럽다는 듯 질투하는 어린아이의 얼굴을.

나는 곧 엄마 손에 이끌려 방에 들어갔다. 방의 물건들은 뒤이어 일어날 일을 미리 준비해둔 것처럼 정돈되어 있었고, 불을 켜지 않아 온통 침침했다. 색색의 장난감이 어질러진 거실과 딴판이었다. 나는 휠체어가 세워진 침대 옆에 꿇어앉았다. 미안해. 처음 들은 말은 그것이었다. 할머니가 아파서, 너랑 엄마한테 이런 모습 보여 줘서 미안해. 아까의 어린아이는 온데간데없었다. 내 앞에 있는 것은 지친 노인이었다. 내가 알지 못하는.

나는 이불 위에 늘어진 손을 움켜잡았다. 늘어진 피부가 미끄러웠고, 손은 따뜻했다. 따뜻하다고 생각했다. 꼭 무언가의 잔열 같은 체온이라 잡은 감이 없는 탓에 확신할 수가 없었다. 괜찮아요. 나는 조용히 대답했다. 곧 나아질 거예요, 요즘은 의료 기술도 좋다니까, 같은 위로의 말은 내 목구멍을 통과하지 못했다. 미래를 낙관할 수 없었을뿐더러, 그 관용구가 실로 '위로'가 될 수 있는지조차 의문스러웠다. 나는 대신 손에 힘을 주었다.

거실은 여전히 불이 환했다. 나는 바닥에 앉은 아이를 내려다보았다. 슬슬 나를 힐끔이기 시작한, 확실하게 따뜻하고 시끄럽게 고동하는 작은 아기. 이 애는 자신이 무얼 배경으로 자라고 있는지 알까. 꼭 무언가와 반비례하듯이 커가고 있음을 알까. 모두가 그렇게 살아왔지만 저는 특히 그 코앞에 살고 있음을 알까. 나는 어른들 쪽으로 고개를 돌렸다. 어머니를 사랑하는 딸과 아들, 작은어머니를 아끼는 조카. 한 살배기를 아끼는 부모와 고모. 나만 알기를 바랐다. 이 집에서 일어나는 체온의 전도를 느낀 것이 나뿐이길 바랐다.

물고기는 글을 쓰지 않아
ⓒ고예은 쓰다.

숨을 크게 들이마시면
봄이 올 때에는 포근포근 따뜻한 봄의 냄새가,
여름이 올 때에는 촉촉하게 더운 여름의 냄새가 난다.
가을이 올 때에는 답답하게 건조한 가을의 냄새로
겨울이 올 때에는 깨질 듯 청초한 겨울의 냄새로
그렇게 계절의 변화를 느낀다.

새벽에는 축축한 이슬의 냄새가 마음을 씻어주고
낮에는 복잡한 사람 냄새가 내 몸을 덥히고
밤에는 부드러운 이불의 냄새가 내 머릿속을 어루만져주어
그렇게 하루의 변화를 느낀다.

차가워진 손에는 따뜻한 숨을 내뱉어 온기를 더하고
뜨거운 찻잔에는 시원한 숨을 불어넣어 그 열기를 가라앉힌다.

불안이 덮쳐올 때는 옆에 있는 누군가의 숨을 느끼며
나의 불규칙한 숨을 그의 숨에 기대어 천천히 맞추어가고

맞닿은 숨이 뒤엉켜 서로의 몸속 깊숙이 들어가면
이 공기가, 너와 나의 온도가, 그 숨이 얼마나 소중한지
함께라는 게 진정 무엇인지 깨닫게 된다.

물고기는 글을 쓰지 않아
ⓒ비(雫) 쓰다.

純愛

밤마다 침대 밑에서 두 다리를 꿇어앉아
오직 그이 생각뿐이었던 때를 떠올리면
저절로 미소가 머물러

너의 눈길이 나에게 한 번이라도 더 닿기를 바라서
새벽같이 일어나 가꾸던

삼삼한 그 얼굴
한 번이라도 더 보고 싶어
발걸음 하나, 하나 맞추던
시간마다 너를 찾고
너와의 말 한 번에
질리도록 매달리며
오매불망 답변만 기다렸는데

한 번, 두 번, 마지막 세 번까지 나에게 기회는 오지 않았지만
그대에게 나는 결국 아니라는 걸 알았지만
설움은 없다. 서운함은 있지만
미련은 없다. 아쉬움은 남지만

계절이 다섯 번 바뀌는 시간 동안 내 마음은 최선을 다했기에
가슴 아리게 내 감정을 느낄 수 있었기에

처음으로 한없이 좋아해 본 사람이 당신이라서
참 다행이고
그저 고맙고
정말 뜻깊었기에
앞으로 평언허고 행복하기를
즐거움만 가득했으면
고단함도 금세 이겨낼 그대이니까

이젠 당신 생각에 밤 지새울 일 없고
어쩌다 마주쳐도 안절부절못하고
이렇게 편안하니

5월의 밤공기처럼 청량하고 미지근한 당신
어느 날 우연히라도 마주치게 된다면 반갑게 인사할 수 있기를.

물고기는 글을 쓰지 않아
©비(斐) 쓰다.

초등학교를 내내 같이 다닌 아이가 있었다. 동그랗고 새카만 눈으로 멀뚱하니 있다가 이따금 방긋 웃는 게 귀여운 아이였다. 그 아이는 움츠린 채 다녔지만 키가 컸고, 힘 있게 걸어 다니면 금방 지친다는 철학을 가져 매번 옆 사람에게 밀쳐지고는 했다. 하얀 피부에 바가지머리, 꽤나 미형의 얼굴이라, 초등학교를 다니는 내내 인기가 있었던 것으로 기억한다.

그러나 그가 특별한 이유는 따로 있었는데, 바로 글씨체였다. 나는 글자를 익힌 후 필체로 칭찬받은 일이 없다시피 했다. 매번 혼나고 꾸중 듣느라 바빴지. 반면 그 애 글씨는 앙증맞고 단정해서, 누구라도 예쁘다고 인정했다. 그 애와 비교당하던 나조차도 그 애의 필체는 사랑할 수밖에 없었다. 정말로, 사랑할 수밖에 없었다.

그 아이는 우유처럼 반투명한 흰색의, 옆구리의 버튼을 누르는 샤프를 사용했다. 학교에서도, 학원에서도, 꼭 그 샤프만 썼다. 나는 그 샤프를 따라샀다. 열쇠고리만 겹쳐도 놀려대는 애들이 반에 즐비했다는 사실을 뻔히 알면서도 그 샤프를 샀다. 물론 글씨가 예쁘게 쓰이진 않았다.

그 아이는 초등학교 졸업과 동시에 이 동네를 떠났다. 부모님의

직장 문제라고 했는데, 나로서는 원망스럽기만 했다. 영영 이 동네에 같이 살 거라고 여겨왔던 아이를 빼앗긴 기분이었으니까. 나는 힘도 없고 목소리도 작아서, 만나자고 할 수도 만나러 갈 수도 없었다. 애초에 이사 갔는데도 찾아가 만날 사이이긴 했나? 거기부터 의문을 가지는 게 옳을지도 모른다.

나는 중학교를 졸업하고 고등학교에 입학했다. 그러는 중에도 내 친구들은 여전히 그때의 애들이었고, 행동 범위도 동네를 벗어나지 않았다. 달라진 것은 외관이나 습관 쪽이었다. 밖에 나가지 않아 피부가 허옇게 질렸고, 머리는 짧게 잘랐으며, 걸음에는 힘이 없었다. 샤프는 전부 옆구리를 누르는 것만 썼지만 여전히 악필이었고, 여전히 연락은 하지 않았다.

그때 샀던 우유색 샤프는 어느 날 망가졌다. 필통을 떨어뜨렸더니 그 안에서 촉이 부러진 것이었다. 샤프를 잃어버렸으면 잃어버렸지, 망가뜨리는 일은 없었는데. 손에 쥐고도 못 쓰는 샤프를 만지작거리며 생각했다. 망가졌다는 사실을 알았을 때 철렁했던 것치고, 내 반응은 의외로 덤덤했다. 두고두고 속상할 줄 알았는데. 그 대신 의식적으로 후련해했다. 그냥 그럴 때가 된 것이라고.

그 아이의 근황은 이사 가던 때처럼 급작스럽게 들려왔다. 나와 그 아이에게 각각 연락을 이어온 옛 친구를 통해서였다. 그 아이는 키가 훌쩍 커서 180cm이 넘었다고 했다. 숫기 없던 성격으로 여자친구를 사귀었다고 했다. 잘 지내는 모양이었고, 행복해 보였고, 여전히 동그랬다. 과거에서 가장 멀리 있는 주제에, 억울할 정도로 그대로였다.

일주일하고 조금 더 지났을 때, 급하게 가방을 챙겨나갈 일이 생겼다. 그래서 옛날에 쓰던 필통을 가져왔다는 사실을 뒤늦게 깨달았다. 필통은 언제 썼는지도 기억나지 않았고, 지퍼에 녹 비슷한 것까지 슬어 있었다. 필기구만은 무사하길 빌며 연 필통은 멀쩡했고, 심지어 새 물건들이 들어있었다. 몇 번 안 쓴 형광펜과 모서리가 선명한 지우개, 그리고 우유색 샤프. 촉이 부러지지 않은 우유색 샤프가 들어 있었다.

쿵 하는 환청이 울리며 가슴이 술렁였다. 그 혼탁한 흰색은 꼭 내 결론들을 부정하는 것처럼 보였다. 아직 그럴 때가 되지 않았다고. 너는 아직도 그걸 생각하고 있다고.

물고기는 글을 쓰지 않아
ⓒ박서월 쓰다.

───────

한 해를 보내주는 것

　한 해가 지났음을 깨닫는 순간은 별 거 없었다. 학원에서 내다보는 창밖이 언제부턴가 어둡다거나, 길거리에서 붕어빵 냄새가 난다거나 하는 사소한 일로, 나는 계절이 바뀜을 알았다. 네 번 넘기면 일 년이 가는 시험 같은 것보다, 열두 번 넘기면 새로 사야 하는 종이 묶음 같은 것보다 훨씬 감각적인 지표였다.

　겨울옷을 꺼내 신으며 생각한다. 조금 살이 쪘던가.

　메리 크리스마스를 연발하며 생각한다. 친구가 약간 늘었을지도.

　연초에 사서 여전히 백지인 일기장을 보며 생각한다. 한 건 없군.

　추위에 따끔거리는 볼을 문지르며 생각한다. 아, 벌써 한 해가 끝났구나.

　잠깐 간지러운 기분을 느낀다. 좋았든 싫었든, 노력했든 게을렀든 한 해가 지나간다. 생은 다음 장으로 넘어가고, 지나온 장은 끝을 맞이한다. 낭비한 부분에 미련이, 혹사당한 부분에는 안쓰러움이 남는다… 거기까지 생각하고 빠르게 기분을 털어버렸다. 연말이라는 시기는 사실 끝도 아닌 주제에 사람을 괜히 간질거리게 하는 재주가 있는 것이었다.

　해가 바뀌어도 지나온 것은 그대로 이어진다. 앞장의 인물을 그

대로 뒷장의 인물이 되고, 전번의 첫 계절은 다시 이번의 첫 계절이 된다. 일 년이 지난다는 것은, 인간이 멋대로 정한 기간이 끝났을 뿐이었다.

그러나 나는 관성적으로 그를 붙잡아 그 단위를 넘겨세는 것에 한동안 서툴게 굴 터였다. 네자리 숫자의 마지막자를 쓰고는 까맣게 지웠다가, 하나 크게 고쳐쓰길 여러번. 그런 식으로 몇 달을 버벅거리다가, 그에 익숙해지는 날에서야 한 해를 보내주리라.

물고기는 글을 쓰지 않아

ⓒ고예은 쓰다.

나팔꽃

꼭 껴안으면 포근한 그 품에 따뜻한 살내음이 묻어나고
손을 맞잡으면 따뜻한 온기가 번지는
마주치는 그 눈빛에는 꾸밈 하나 없는 감정이 드러나 있고
시원한 웃음이 머무르는 입술에서는 다정함이 가득한

내가 다른 이들보다 호탕하게 굴어도 같이 웃어주고
내가 불안감에 평소보다 예민하게 굴어도 따뜻하게 감싸 안아주고
가끔 엉뚱한 생각을 해도 같이 고민해줄 내 사랑,

당신이 기쁨을 말하면 누구보다 기뻐하고
당신이 설움에 눈물을 흘리면 어여쁜 눈 상하지 않게 조심스레
닦아주고
당신이 곤란하면 함께 이겨내도록 온갖 방법을 모색할 테니

봄에는 같이 떨어지는 벚꽃을 잡고
여름에는 해안가에 가만히 서서 발등을 간질거리는 파도를 느끼고
가을에는 파란 하늘 아래서 손을 맞잡고 거리를 거닐고

겨울에는 따뜻한 아랫목에 기대앉아 귤이나 고구마를 서로 까줄
우리를 위해

따뜻한 바람을 갈라
시원한 비를 맞으며
건조한 공기를 들이마시고
폭닥폭닥 쌓인 눈을 밟아
마침내 그대에게 다다르면

놀란 기색 없이 그저 환하고 예쁜 미소와 함께
내가 세상에서 제일 좋아할 그 품에
잘 왔다고 꼭 안아주오.

물고기는 글을 쓰지 않아
ⓒ비(雫) 쓰다.

―――――
1.

  우리는 바다에서 처음으로 손을 잡았다. 가장자리를 따라 걷고 뛰고 멈추고 놓친 손을 잡고 다시 걸었다. 바짓단을 무릎 아래까지 올려 접고 바다에 발을 담갔다. 사람들이 하나둘 돌아서도 너는 여전히 웃는 낯이었다.

  잠시 차에 갔다 올게.

  너무 멀리 가면 안 돼.

  알아들은 듯 웃는 너를 뒤로한 채 바다에서 멀어졌다. 다시 모래사장을 지나 신발에는 물이 침투됐지만 너는 보이지 않았다 머리가 차게 식었다. 무작정 바다에 들어가 네 이름을 불렀다.

  아마 물 밖이 꽤 시끄러웠고, 코도 목도 너무 따가웠다. 내 몸이 제구실을 못하는 듯했지만 결국 너를 찾아냈다.

  너는 물고기가 된 양 입을 뻐끔대며 기포를 만들고 있었고 네 동공 속에는 끝까지 나만 가득 찼다. 나도 같이 잠길 것만 같았다.

물고기는 글을 쓰지 않아

ⓒ김민지 쓰다.

있지 나는 오늘도 그 아이 체온처럼 찬 바닥에 누운 채 동이 틀 때까지 천장만 쳐다보고 있었어.

문득(이 아니라 사실 계속 하고 있었지만) 이런 생각이 들었지. 나도 그렇게 죽어 버리면 어떡하나. 나는 그 아이가 찾아오면 해 줄 말을 머릿속으로 생각하면서 단지 내가 여름을 싫어한다는 이유만으로 더위를 계속해서 입 안에 욱여넣고 목구멍을 태워 다 잘 못되어 버려도 속이 타서 입 밖으로 나오는 연기를 그저 뿜어내고 만 있었어. 여름이 되면 나도 그 불쌍한 놈처럼 끝끝내 더위를 먹지 못하고 죽을까 봐. 그렇게 되면 내가 그날 주저앉아서 손톱 밑에 끼워 넣은 모래알만큼의 희망도 파도에 씻겨 다 빠져나갈까 봐.

그래 그러니까 너도 얼른 와서 좀 먹어 봐. 혹시 모르잖아. 삼 년 후 여름을 다 먹어 버리면 어쩌면 나랑 다음 여름까지는 살 수 있을지도

물고기는 글을 쓰지 않아

©김민지 쓰다.

꽃

꽃이 피었다.
시키지도 않았는데
순리에 따라 피어
사랑을
기쁨을
주고

꽃은 떨어졌다.
가야 하는 때가 언제인가를 아는 나그네처럼
오래 머물지도 않고
쓸쓸함만
외로움만
남기고

아름다운 너의 향기
또 언제 만날 수 있으랴.

물고기는 글을 쓰지 않아
©김성주 쓰다.

제3부 내가 보이는 곳

밀랍인간

아아, 난 아침 해 뜨는 것이 두려웠네
백일하에 내 오만과 무용이 드러나는 게
무지와 고립이 명백히 되는 게 괴로웠지
그림자로 달아난대도 내 밀랍을 태워 녹일 태양
나는 아침 해 뜨는 것이 두려웠네

물고기는 글을 쓰지 않아
ⓒ고예은 쓰다.

_____

학교 가기 싫다

깨질 듯한 알람 소리
끄고
아주 잠깐 눈을 감은 듯 잔 듯
찢어질 듯 또
울리는 알람 소리
다시 꺼 보지만

이상한 나라의 성실한 학생은
오늘도 알람 소리에 패배하여
영혼 없는 기계처럼
학교가 싫어서 학교에 간다.

물고기는 글을 쓰지 않아
ⓒ정우형 쓰다.

_____

보건실

보건실은 학생의 휴식처이다.

언제나 열려있지만 아무 때에나 들어갈 수는 없다.

몸도 치유되지만, 마음도 쉴 수 있는 곳.

공부에, 관계에, 우리가 지친 것들로부터 유일하게 벗어날 수 있는 공간.

몇 번을 가도, 또 가고 싶은 곳.

보건실은 머무를 곳 없는 우리들의, 그야말로 낙원이리라.

물고기는 글을 쓰지 않아

ⓒ박성근 쓰다.

나는 바다가 좋았다.

막힘 없이 불어오는 소금 바람, 발을 내리 끄는 모래, 하얗게 부서지는 포말과 끝없이 이어지는 잔물결. 그것들의 집합은 하나의 생명체처럼 밀려들며, 요란하고 고요한 숨소리를 냈다. 탁 트인 수면을 채우도록 크되 딱 그만큼만 채우는, 오래된 생명체의 나지막한 숨이었다.

나는 그 소리에 귀 기울이기를 즐겼다. 머리칼을 엉망으로 흩트리는 바람을 맞으며 모랫바닥에 아무렇게나 앉았다. 산산이 부서졌다가 회복하는 파도, 산산이 부서졌다가 회복하는 파도. 쉴 새 없이 넘어가는 파란의 소리는 그리운 음을 냈고 나는 곧잘 향수를 앓았다. 살아본 적 없는 곳에서 향수를 느낀다는 것은 꽤 우스운 일이지만, 바다가 좋은 나로서도 어쩔 수 없는 일이다. 탈부착 가능한 그리움을 어디 그리움이라 부르던가.

나는 잔뜩 꺾이어 불어오는 먼지바람과 딱딱한 콘크리트 바닥, 하얗게 흩어지는 매연 속에서 바다를 찾았다. 숨을 크게 들이마셔 바다 내음을 취하고자 한 것이다. 그러나 어떻게 해도 원하는 것을 찾을 수 없었고, 내륙의 싱거운 일들에 집중하지 못했다. 그저 바다로 돌려보내 주었으면 했다.

　그래서 진짜 바다라도 가는 날에는 그 앞에서 떠나질 못했다. 먹거리며 볼거리가 넘치는 도시에서도 그저 해변에 서 있었다. 부서진 물 조각, 따끔거리는 바람, 천 개의 조각으로 일렁이는 볕을 맞고만 있었다. 오래된 생명체의 짭짤한 기운이 뒤섞인 날숨. 나는 그와 입 맞추듯 숨을 이어받아 호흡했다.

물고기는 글을 쓰지 않아

©고예은 쓰다.

내가 보이는 곳

파도, 운해, 파아란. 고안했던 필명 중 몇 개를 추려온 거다. 여기서의 공통점이 어느 정도 보이는 것처럼, 나는 바다를 좋아하고 특별한 감정을 가지고 있다. 내 이름에 바다 해(海) 자가 들어가는 것과 비슷한 이치인 걸까.

나는 기억력이 나쁜 편인데, 희한하게도 어렸을 때부터 바다를 좋아했던 기억이 내 안의 한 편에 자리잡고 있다. 넓은 바다를 보고 있으면 파란색의 구겨진 색종이가 모래사장과 맞부딪혀 부서지는 하얀 보석을 만들어내는 듯이 느껴졌다. 이건 지금도 변함없이 바다를 볼 때 떠오른다. 바다 곁에는 높은 건물이 자리 잡은 일이 적어 도시에만 살아왔던 내게 마냥 시원하고 기분 좋게만 다가왔다. 머리카락을 부드럽게 쓸어 나가는 바람, 바다의 부산물인 조개 껍질이나 예쁘게 깎인 돌, 발가락 사이사이 껴드는 모래알까지 왜 사랑스러웠는지 모를 일이다.

이렇게 당시를 떠올리다 보면 역시 바다 곁에 살아야 하나, 하는 생각이 드는 요즘이다. 집에서 나와 조금 걷다 보면 풍겨오는 바다 내음에 저 멀리 지평선에 눈을 맞추는 삶을 꿈꿔본다. 시야 가까이 보이는 오밀조밀한 건물과 집 옆 텃밭에서 작게 토마토를 키우는 일은 누구나 한 번쯤 바랄만한 것이니까. 바다를 사랑해서 자연과 가까워지고 싶은 시기가 좀 더 빨리온 것 같다고 생각한다. 저멀리 내가 모르는 동네에서 행복할 사람을 떠올리며, 어서 어른이 된 내가 보고 싶어지는 나날이다.

물고기는 글을 쓰지 않아
©적운 쓰다.

_____

나를 죽이고 있던 나를

나는 완벽하고 싶었다. 그래서 내게 결핍이 있는 것도 결핍으로 보이는 것이 싫었다. 처음 펜을 잡았을 때, 펜의 촉이 종이 끝을 떠나는 데까지 오랜 시간이 걸렸다. 완벽하고 싶었으나, 나는 부족했다.

<마지막은 왼손으로>라는 이제니 시인의 시를 읽은 적이 있다. 그 시의 마지막 구절은 내 완벽하고 싶었으나 부족했던 나를 위로하며 내 삶의 방향을 제시해 주었다.

'아름다운 것은 슬픈 것. 슬픈 것은 아름다운 것. 내 속의 아름다움을 따라갔을 뿐인데, 나는 피를 흘리고 있구나. 어느새 나는 혼자가 되었구나. … 나는 나로 살기 위해 이제 그만 죽기로 하였다.'

나는 나를 죽이고 있었던 나를, 나에게서 뜯어내기로 하였다. 지금 다시 생각해보면, 그 과정 또한 나비의 시린 우화 과정이 아니겠는가. 그래도 아직은 변태인 나를 더 성장시키기 위해, 오늘 귀중한 당신들을 만난 것이리라.

물고기는 글을 쓰지 않아
ⓒ김민지 쓰다.

나에게 너는 어떤 사람이냐고 묻는다면 그만큼 곤란한 질문이
또 없다. 나는 게으르면서도 끈질기고 고요하면서도 부산스럽다.
어느 날엔 인터넷의 바다에 잠수했다가, 또 다른 날엔 문자의 정렬
에서 나올 생각조차 하지 않는다. 환절기 날씨처럼 오락가락하는
내 안에서 굳건한 것이 있다면, 비관. 유감스럽지만 그 하나뿐이다.
효도니, 우정이니 하는 것들을 배울 때부터 윤리에, 정치를 배우는
지금까지. 세월이 쓸어간 것 중에 내 염세는 없었다.

물론 주위의 모두가 나를 고치려고 달려들었다. 긍정적으로 생각
해라, 비판은 나쁜 것이야. 처음에는 그 말을 귀담아들으려 애썼다.
그러나 그에 맞출수록 내가 그에 맞지 않다는 것을 알게 되었고,
결국 나를 바꾸어보려는 노력을 아예 그만두어 버렸다.

후회하지 않는다. 성격이 이 모양이라 지금껏 손해도 많이 보았
지만, 나의 비판적 시각으로 성과를 얻었던 일도 있었고 관점이 다
르다고 흥미롭게 바라봐 준 사람들도 있다.

그래서 나는 내 성격이 부끄럽지 않다. 운동장에 나가서 '나는 비관적인 사람입니다'라고 소리칠 지경은 아니지만, 나를 소개할 때 '나는 비관적이지만 저는 나의 그런 점이 좋습니다.'라고 말할 정도는 되지 않을까.

물고기는 글을 쓰지 않아

©고예은 쓰다.

＿＿＿＿＿＿
그림을 그리는 시간

누구나 하나쯤은 가지고 있지 않을까. '나'를 소개할 때 뺄 수
없는 것. 나는 그중 하나가 그림이다. 모든 사람은 살면서 그림 한
번씩은 그려 봤을 것이다. 낙서도 그림이니까.

그림은 사람의 감정을 표현하는 수단이다. 지금의 감정을 종이에
자유롭게 그려낼 수 있으니까. 정말 놀랍게도 그림은 그 사람의 인
생을 담기도 한다. 같은 그림을 그려도 사람마다 그 느낌은 너무도
다르기에.

나는 그림을 그리는 것을 좋아한다. 정확히 말하면 완성되어 가
는 그 순간에 말로 표현할 수 없는 느낌이 나를 다시 그림 그리기
로 이끈다. 그림을 그릴 때 가끔은 시간이 멈춘 것 같다. 잠깐 잠
이 들었다 깨어난 기분이랄까? 하지만 그림은 항상 날 편안하게
해주는 건 아니다. 가끔은, 아니 꽤 자주? 그림을 그리기 시작할
때 올라가야 할 높은 산을 바라보는 것과 같이 버거울 때가 있다.

처음 그림을 시작할 때에는 그림 그리는 것이 버겁지 않았다. 뭣
모를 때에는 다 쉬운 법이니까. 단순히 내 감정만을, 내 상상력만
을 위해 그려 넣었던 어렸을 적 나의 그림은, 내용과 형식의 조화
로운 예술이 아니었기에 그저 쉬웠던, 재미있었던 행위였다. 인생

에서 쉬운 것은 없다는 아주 간단한 진리를 깨닫고, 그림을 그리는 것 역시 쉬운 작업이 아니라는 것을 깨달았고, 그럼에도 그림 그리는 시간은 나에게 특별하기에, 나를 표현할 수 있기에 앞으로도 기대되는 행위이다.

물고기는 글을 쓰지 않아
ⓒ김서연 쓰다.

_____

세 포 호 흡

　반죽 사이사이에 묻혀 눅눅한 더위에 가쁘게 숨을 쉬던 그는 뜨거운 이산화탄소를 내뱉는다. 숨을 뱉어내다가도 힘에 부치는지 주변에 먹이들을 열심히 입안으로 욱여넣는다. 공기들이 입 안의 숨을 모조리 가져간 탓에 입 안은 비쩍 말라 혀 위의 돌기가 거칠다. 단내가 진동해 부족한 힘으로 억지로 입을 벌려가며 연신 쩝쩝댈 뿐이다. 하지만 그렇게 발버둥 쳐도 저를 짓누르는 덩어리들은 그 미약한 숨을 먹이 삼아 점점 크기를 키워갈 뿐이다. 꺼져가는 숨을 몰아쉬며 눈을 감을 때, 그 앞에 보이는 것은 행복한 웃음을 짓는 이들이다. 그는 사라졌다. 그러나 그 자리에는 필사적인 몸부림이 남긴 향기와 곳곳의 기공이 남는다. 완성품을 입에 담으며 즐거워할 그들을 위해, 세포들은 나지막이 호흡을 멈춘다. 이 작은 생명체도 자신에게 주어진 역할에 이토록 충실한데, 내 보통의 삶이 별거일까?

물고기는 글을 쓰지 않아

ⓒ비(霏) 쓰다.

―――――――
눈

　기대해주는 눈은 언제나 좋았다. 너는 대단한 사람이고 너는 가능성이 있다고 확신하고 있었으니까, 반짝이고 있었으니까. 그래서 믿고 싶었다. 나는 대단한 사람이고, 나는 가능성이 있다고.

　그래서 나는 그 눈이 무서웠다. 나는 대단치 못하고 가망 없는, 언젠가 그 기대를 바닥에 떨어뜨릴 애였으니까. 당신이 믿어서도, 내가 믿어서도 안 되는 애니까.

　당신은 나를 잘못 보고 있습니다. 나는 딩신을 실망시킬 겁니다. 오늘, 아니면 내일. 모레나 글피, 그 다음의 어느 날에. 나는 당신을 실망시킬 겁니다. 아니, 이미 실망시켰던가요.

　실망한 눈을 본 적이 있다. 이미 꺼진 광채를 숨기기 위해 이전의 반짝임을 더듬어 재연하고 있었다. 새카맣게 빛나는 눈이었다. 무서웠다. 미안하다는 말을 하고 싶었다. 내가 제공한 실망에 대해 용서를 빌고 싶었다. 그러나 할 수 없었다. 사과하는 것 자체가 결례라고 느꼈다.

　나를 향하지 않는 눈이 있었다. 눈 밖에 난 것조차 아니라 날 비춘 적도 없는 눈이었다. 그 이유를 넘겨짚어 납득하면서도, 내가 그의 무엇도 아니라는 사실이 서러웠다.

주욱 그렇게 살았다. 반짝이는 눈에 혹했다가, 겁에 질렸다가, 사과를 우물거리다가, 문득 서글펐다.

물고기는 글을 쓰지 않아
©고예은 쓰다.

멀은 것

그네의 태양은 코앞에 있었다
손을 뻗어 잡을 수 있는 빛에 눈이 멀어
사방이 빛인 줄로 알았다

나의 태양은 저만치 멀리 있었다
겨우 닿아 잡을 수 없는 빛이 한참 멀어
발치의 나락이 적나라했다

무엇이 멀지
우리가 택한 게 아니라,
우리는 그게 먼 지도 몰랐다

물고기는 글을 쓰지 않아
©고예은 쓰다.

내가 기억하는 내 최초의 작문은 논술학원에서 이루어졌다. 아마 독서록이었을 텐데, 선생님은 학습지를 나눠주며 이렇게 말했다. 글은 솔직하고 자기 이야기가 많이 들어가 있을수록 좋아. 이게 누구 글인지 알아볼 수 있게. 초등학생이었던 나는 그 조언을 적극 반영했고, 다음 수업에서도, 그다음 수업에서도. 나의 이야기와 감상을 한아름 섞어 넣었다.

사실 이 책이 무슨 소리인지 모르겠다는 고백, 세상은 썩어 빠졌다는 불평, 과학은 질색이라는 선언. 독서록에 담기에는 웃기는 소리만 줄창 써댔지만, 나는 즐거웠다. 책장에서 벗어나지 못하는 독서록보다는 훨씬 즐거웠으니까. 그야 내 것이 아니던가. '나'가 등장하는 순간부터 이건 이미 책에 헌정하는 기록이 아니었다.

그 경험을 착실히 쌓으며, 나는 수행평가가 만연하는 나이에 이르렀다. 나는 미친 듯이 밀려오는 논술 수행에 맞추어 미친 듯이 글을 썼다. 환경에 대한 보고서 작성, 한옥의 요소를 현대의 건축에 적용할 방법, 정의로운 사회란 무엇인가 등. 하나같이 지루한 주제들에 대해 나는 지정 글자 수가 모자라도록 문장을 이었다. 주제가 따분한들 '나'의 생각을 쓰는 글이었으므로 나는 거칠 것이 없었다.

　결과는 대체로 만점. 점수를 확인하러 나가며 선생님들께 소소하게 칭찬받는 일도 드물지 않았다. 그도 그럴 것이, 중학생의 나는 지금 봐도 놀라울 정도로 글을 썼다.

　어쨌든 내 글은 내가 가진 것 중 가장 '나'에 가까운 것이었기에, 글을 잘 썼다는 말은 몇 번을 들어도 듣기 좋았다. 그러니까 내가 글을 쓰는 일은 어쩔 수 없는 것이었다. 칭찬에 촉발되어 이 꿈을 선택한 것 말이다.

물고기는 글을 쓰지 않아

ⓒ고예은 쓰다.

어린 나는 친구 만들기에 괴멸적으로 재능이 없었다. 반에 친구는 하나도 없었고, 대화조차 잘 나누지 않았다. 특별한 이유가 있는 건 아니었지만 어쨌든 난 반에 친구가 없었고, 학교에는 계속 앉아있어야 했다. 대책 수립이 시급했다.

나는 가장 간단한 방법을 골랐다. 바로 독서였다. 책이야 집에 널려 있었고 독서도 그 나이 때 애들에 비하면 싫어하지 않았기에 가히 최적의 선택지였다. 그러나 문제가 생겼으니, 장소가 초등학교 저학년 교실이라는 사실이었다. 아이들은 꽥꽥 소리를 질러댔고, 마찬가지로 초등학교 저학년인 내 집중력으로는 글자를 읽는 게 전부였다. 그렇게 꾸역꾸역 한 권을 끝마친 나는 있는 힘껏 짜증을 부리며 다음 권을 시작했다.

그러나 소음공해는 여전했고, 나는 거의 이렇게 읽었다. 마틸다는-이 바보야!- 말했다. "오, 하니 선생님- 급식 먹자!- 제가 그 물컵을 넘어뜨렸어요."- 야, 빨리 와- '물컵을 넘어뜨려, 넘어져!' 물컵이 넘어지고 선생님이 놀란다. 둘은 오두막집에서 옛이야기를 나누고, 마틸다는 그 이야기에 분노한다-

헉-

나는 불현듯 책에서 깨었다. 방금까지 침묵하던 소음들이 뒤늦게 머리를 울렸고, 책은 절정 부분에 도달해 있었다. 나도 모르는 새에 마법같이… 나는 내가 도피에 성공했음을 깨닫는다. 이야기로의 몰입. 다른 세계로의 완전한 도피였다.

자리를 벗어날 수 있는 가능성을 본 나는 끝도 없이 책을 읽었다. 우애 좋은 친구며 소인들의 사회, 통조림에 담긴 손가락과 동화적인 극복들. 장르도 가리지 않고 줄기차게 읽어댔다. 표지를 열 때마다 새 세계가 있었고, 하나같이 매력적인 이야기로 빼곡했다.

그 모든 세계에 자리를 잡았다. 누가 번호를 매겨 앉힌 자리가 아니라 기틀부터 내가 잡은 '내' 자리였다. 모든 비수로부터 안전한 내 자리. 즐거움에 벅차게 하는 내 자리. 나는 그곳에서 인물들을 지켜보고 응원했으며 때로는 함께 훌쩍였다.

나는 그 세계를 애정했다. 빛나는 부분을 동경하고 여린 곳을 아껴서, 더 없을 정도로 애정하게 되었다. 그리고 무심코 생각했다. 나도 그런 세계를 만들고 싶다고.

물고기는 글을 쓰지 않아

©고예은 쓰다.

솔직히 말하면, 글쓰기와 책을 좋아하는 사람이 선택할 직업은 뻔했다. 작가. 취미도 특기도 관심사도 전부 문학이라면 자연히 도달할 수밖에 없는 결론이었다. 나도 그런 결론이었다. 글을 쓰는 게 좋았다. 글을 써서 살고 싶었다.

모두가 입을 모아 말했다. 거기로 가면 굶어 죽어!

거기에 매번 답했다. 하하, 안 한다니까 그러네.

나는 모두의 '굶어 죽어!'에 맞서지 않았다. 되려 겁을 먹었다. 나 따위가 들어가면 틀림없이 참패할, 금지 구역쯤으로 여겼다.

진로 희망 조사를 하면 다른 직업을 댔고, 직업체험을 해도 다른 직종을 선택했다. 좀 더 안정적이고, 월급을 받는 착실한 직업으로 골라 썼다. 변명 같은 꿈이었고, 그다지 기대되지 않는 희망이었다.

그렇게 금지구역의 반대쪽으로 걸어가는 길에 수행평가 하나가 있었다. 국어 과목이었는데, 당일 급하게 쓴 것치고 문장이 썩 괜찮아서 만족스러웠다. 조금 더 솔직하게 말하자면, 잘 썼다고 칭찬받길 기대하고 있었다. 오만한 소리지만 사실이었다. 분석이 아니라 소설이 되어버리긴 했지만, 잘 썼더라! 정도의 말을 들으리라 확신하고 있었다.

그리고 예상대로 호평을 받았다. 그러나 예상했던 것보다 훨씬 더. 잘 썼더라 이상의, 받아본 적도 없는 관심이었다. 내 글을 알아주는 그 말이 그 무엇보다 기뻤다. 살아있다고 느끼는 게 이런 걸까, 싫도록 심장이 박동했다. 하늘을 나는 것 같다는 게 이런 걸까, 느끼도록 기분이 고조되었다.

그래, 나는 글을 쓰는 게 좋았다. 글을 써서 살고 싶었다. 보고서가 아니라, 필기가 아니라, 내 얘기를 쓰는 게 좋았다. 내 자리를 마련해 주었던 소설을 쓰는 게 좋았다. 처음부터 나는 거기에 있었고 그리로 가야 했다. 가면 굶어 죽는다고? 뭐 여기서는 영원토록 살 텐가. 어차피 죽는다면 거기서 뼈를 묻지 뭐.

나는 발길을 돌려 달려가기로 했다. 후회하게 된대도 좋았다.

물고기는 글을 쓰지 않아

ⓒ고예은 쓰다.

생각
 - 부제: 슬픈 목소리

늘 머릿속에는 이런저런 생각이 가득한데 그게 마치 여러 명이 내 주변을 둘러싸고 집단적 독백 마냥 자기 얘기만 줄줄이 늘어놓는 것처럼 이 생각, 저 생각이 치고 들어올 때가 있다.

이런 생각들이 없으면 심심해서 어떻게 사나 싶을 때도 있지만 가끔 찾아오는 강박과 우울은 그 말들을 모두 나를 향한 비난으로 바꾸어 버린다. 그런 생각들이 내 뇌를 짓누를 때 엄습해오는 공포는 아무리 숨을 내쉬어봐도 가슴을 쓸어내리며 달래봐도 가라앉지 않는다. 결국 그 모든 것들은 뜨거운 눈물로, 살점이 다 뜯긴 손끝으로, 앞니가 할퀸 입술로, 끝없이 들이쉬어도 턱턱 막히는 호흡으로, 차갑게 식은 발바닥으로 제 모습을 드러낸다.

조금 있으면 나아지겠지.
금방 괜찮아질 거야.

또다시 나를 괴롭히며 찾아오는 감정들. 불안, 우울, 두려움. 그들로 인해 잠들지 못하는 때가 오면 머릿속에 요동치는 소란을 잠재우기 위해, 수많은 나와 직접 이야기를 나누어야지.

방 안에 박혀 슬픈 목소리의 근원을 파고들어 나를 마주하면, 나를 꾸짖고 나를 힐난하며 내가 나를 이기기 위해 싸운다. 결국 다치는 것도 나지만 더 이상 다치지 않는 것도 나 자신이리라.

　이 모든 것이 무슨 의미가 있는가.

물고기는 글을 쓰지 않아
©비(斐) 쓰다.

―――――――
어른

이제 우물 밖으로 나갈 생각에 설레지만 두렵기도 하지.
더 이상은 우리를 보호하고 품어줄 그 어떤 장치도 없으니까.
아직 갓난아기 같은데 성인이 된다는 게
같은 출발선에 더 크고 멋진 사람들이 가득하다는 사실에
오히려 초라해지기도 하지.

하지만 우리가 세상에 탄생한 후 성장한 목적은
더 높이 올라가는 사람이 되기 위해서가 아니라
이 세상이 잠음 없이 굴러갈 수 있도록 돌볼 줄 아는, 아주 건강
한 어른이 되기 위함이야.

성인과 어른은 다르다는 걸 너희들도 알고 있을까.
물론 착하고 올바른 너희들은 어떤 형식으로든
이 사실을 인지하고 있겠지.
이 세상에 팔 할이 성인인 만큼 그 성격도 다양한데
띠동갑도 넘게 차이 나는 고등학생한테
분에 못 이겨 화풀이하는 성인

길바닥에 오물이나 쓰레기를 함부로 떨구는 성인
책임감 없이 자신의 일을 미루는 성인
다양성을 용인하지 못하고 남의 다름을 차별하고 조롱하는 성인
아이에게 폭력과 희롱을 하는 성인

이런 성인들도 이 사회의 부속품이 되어 세상을 돌아가게 해.
아이러니하게도, 주변을 까지고 다치게 해도 자기 자리를 굳건하게 지키며, 절대로 빠지지 않을 나사처럼 박혀있기도 하더라.
그런 모습을 보고 있노라면, 탄식만 나오지.

그러나 우리는 그들과 달라.
우리는 남의 아픔을 공감할 줄 알고
누군가를 선뜻 도울 줄도 알지.
또 나와 다른 사람을 존중하고 함께 웃을 수 있는 능력이 있고
맡은 일에 최선을 다하려는 끈기도 있어.
우리는 그게 옳다고 배우며 자랐으니까.
성인 같지 않은 성인들보다 더 성인다운 성인, 어른스러운 어른이 될 수 있을 거야.
세상을 멈추게 하는 성인들과는 다르게, 우리는 소음 없이 태엽을 돌릴 수 있을 거야.

그래, 가끔은
자신이 한심하고 미운 날도 있겠지.

어떤 미운 말에 상처받는 날도 있을 거야.

때로는 높은 벽을 만날 때도 있겠지.

그럴 땐,

지친 몸을 잘 다독여주고

따끔한 가슴을 따뜻하게 쓰다듬어주고

무겁고 답답한 숨을 가볍게 한 번 내뱉으며

계단을 쌓아 올려 넘어가자.

언젠가 우리처럼 자신과 타인으로부터 받은 상처에 고통스러워
하고 지쳐 주저앉아 있는 아이들을 만나면

다시 한번 힘을 낼 수 있도록 꼭 안아주고 같이 손을 잡고 계단
을 오르는 그런 어른이 되자.

뒤이어 올라온 그들도 청량하고 아름다운 세상을 맞이할 수 있
도록.

너희라면 할 수 있을 거야.

우리라면 어른이 될 수 있을 거야.

물고기는 글을 쓰지 않아

ⓒ비(𩙿) 쓰다

나가며

물고기는 글을 쓰지 않는다. 글은 인간만이 할 수 있는 사고 표현 행위이다. 판곡고등학교 동아리 '물고기는 글을 쓰지 않아' 학생 작가들은 꺼내놓기 어려울 수 있는 자신의 속내를, 자신만의 개성 있는 문장으로 글을 써냈다.

학생들은 자신의 마음을 꺼내놓기 위해, 큰 용기를 냈다. 학생들에게 글은 햇빛과도 같아서, 그들은 어렵게 꺼낸 자신들의 마음이 햇빛에 곱게 말라 단 한 번도 상처받지 않은 사람처럼 다시 살아가기를 바라는 마음으로 글을 썼다.

학생들은 숨을 쉬고 있으면서도 숨을 쉬고 싶은 마음으로, '내가 보이는 곳'을 찾아 글을 썼다. '내가 보이는 곳'을 찾는, 쓸쓸하고도 귀한 그들의 시간을, 따뜻한 시선으로 함께해 준 독자들에게 감사한 마음이다.

책이 나오는 과정에 도움을 주신 남양주시청 미래교육과, 판곡고등학교 김은경 교장 선생님, 강동호 교감 선생님께 감사드리며, 원활하게 동아리를 운영할 수 있도록 배려해 주신 교육과정부서에도 감사드린다.

판곡고등학교 동아리 '물고기는 글을 쓰지 않아' 학생 작가들에게 따뜻한 햇빛이 되기를 바라는 마음으로, 학생 작가들의 글을 책으로 펴낸다. 3학년 문지혜, 2학년 고예은, 신해나, 박성근, 정우형, 1학년 주연우, 김민지, 김성주, 김서연 학생에게 고마움을 전한다.

2023년 12월
판곡고등학교 교무실에서

최진욱(판곡고 국어 교사)
teach_app@naver.com